Volume 4

O LIVRO DOS
APÓSTOLOS

**Mateus
Judas Tadeu
Simão**

São Paulo
2020

Grupo Editorial
UNIVERSO DOS LIVROS

© 2020 by Universo dos Livros

Todos os direitos reservados e protegidos pela Lei 9.610 de 19/02/1998.
Nenhuma parte deste livro, sem autorização prévia por escrito da editora, poderá ser reproduzida ou transmitida sejam quais forem os meios empregados: eletrônicos, mecânicos, fotográficos, gravação ou quaisquer outros.

Diretor editorial: Luis Matos
Gerente editorial: Marcia Batista
Assistentes editoriais: Letícia Nakamura e Raquel F. Abranches
Preparação: Ricardo Franzin
Revisão: Guilherme Summa
Arte: Valdinei Gomes
Capa: Vitor Martins
Imagem de capa: Leonardo da Vinci, *A Última Ceia*. Cópia do século XIX feita por um autor desconhecido no altar lateral na igreja Kostel Svatého Václava, em Praga. Shutterstock/Renata Sedmakova.

Dados Internacionais de Catalogação na Publicação (CIP)
Angélica Ilacqua CRB-8/7057

L761

O livro dos Apóstolos – volume 4 : Mateus; Judas Tadeu; Simão / Universo dos livros. — São Paulo : Universo dos Livros, 2020.
32 p. (O livro dos Apóstolos ; vol. 4)

Bibliografia
ISBN 978-65-5609-018-4

1. Apóstolos 2. Mateus, Evangelista, Santo 3. Judas Tadeu, Apóstolo, Santo 4. Simão, Apóstolo, Santo

20-4094　　　　　　　　　　　　　　　　　CDD 922.22

Introdução

Chegamos ao quarto e último volume desta linda coleção de livros que contam um pouco da vida dos Doze Apóstolos de Jesus. Sejam todos muito bem-vindos mais uma vez.

Existem diversos relatos de estudiosos da religião sobre os Apóstolos, mas não muitos registros documentais que provem o que se diz, a não ser pelos quatro Evangelhos escritos por Mateus, Marcos, Lucas e João. Cada um a seu modo relata as passagens mais marcantes envolvendo Jesus e seus discípulos.

São doze os Apóstolos escolhidos porque assim se estabelece uma relação com a história de Israel no Antigo Testamento. Jesus pensava na nova Israel, mas também na antiga, e ambas tinham doze tribos com seus doze patriarcas. Isto O fez decidir-se pelos doze Apóstolos.

Novamente neste volume, abordamos a diferença entre discípulo e apóstolo. Segundo o dicionário Aurélio, discípulo é "aquele que recebe ensino de alguém ou segue as ideias e doutrinas de outrem". Ou seja, discípulo é aquele que aprende algo com alguém. Já apóstolo, de acordo com o mesmo dicionário, define-se como: "1. Cada um dos 12 discípulos de Cristo. 2. Propagador de ideia ou doutrina". Ou seja, trata-se daquele que é enviado para ensinar algo.

Muitas pessoas são fascinadas pelas histórias desses homens escolhidos e conversas maravilhosas sobre o assunto são corriqueiras. Sempre alguém se identifica com um dos Apóstolos. E isso acontece por um motivo simples: todos os Apóstolos de Jesus eram pessoas comuns, assim como qualquer um de nós. Somente Ele os conhecia a fundo, com suas fraquezas ou suas virtudes. Assim, ao Mestre, não houve nenhuma dúvida quanto às suas escolhas. Ele procurava de fato pessoas comuns.

Então, se Jesus tinha a Seu lado pessoas tão simples, algumas vezes sem estudo ou sem a própria educação

INTRODUÇÃO

familiar, por que nós não as pegamos como exemplo? Sejamos todos servos de Cristo em nossas bondades, virtudes e fraquezas.

Os Apóstolos serviram como mensageiros das palavras e ensinamentos de seu Mestre. Como verdadeiros discípulos, aprenderam primeiro a orar e a servir uns aos outros, para só depois passarem adiante Seus ensinamentos. Exatamente como muitos de nós.

Quem sabe, ao ler sobre cada um desses discípulos, não possamos acreditar em nossa força para também passar adiante nosso aprendizado? Mesmo com nossas falhas, fraquezas e até mesmo pecados, tenho certeza de que, se carregamos Jesus em nossos corações, podemos receber Dele o perdão. Se estivermos seguros do que fizemos e de nossos arrependimentos, certamente poderemos contar com a cura e a paz de Cristo.

Já falamos nos volumes anteriores sobre Bartolomeu, sobre Tiago, o Menor, sobre André, Judas Iscariotes, Pedro, João, Tomé, Filipe e Tiago, o Maior. Para finalizar a coleção, vamos agora saber um pouco mais sobre Mateus, Judas Tadeu e Simão.

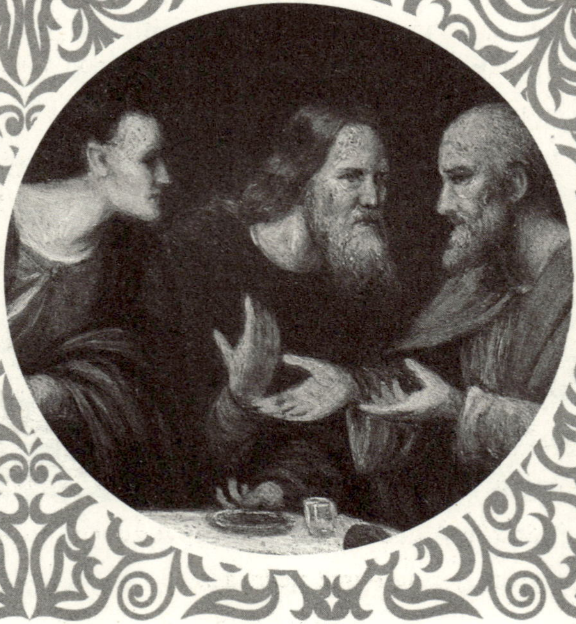

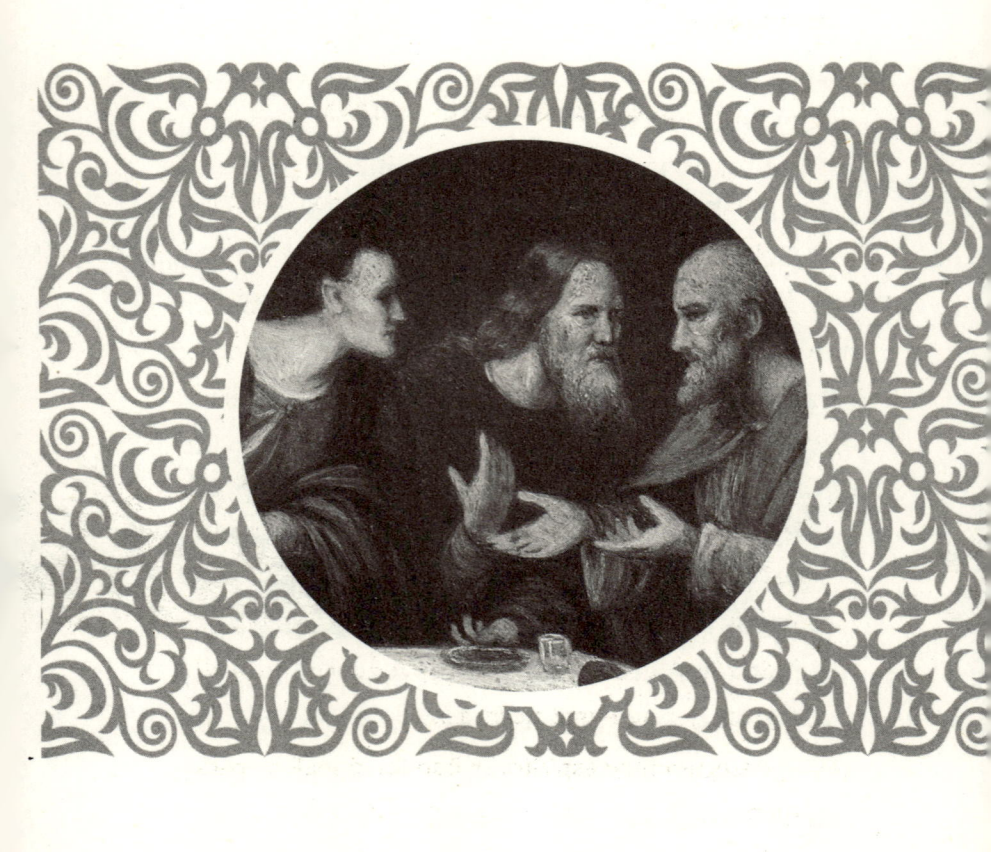

MATEUS

Mateus foi o responsável pelo primeiro Evangelho que conhecemos. Sabemos que nasceu na Galileia, assim como boa parte dos Apóstolos, em um povoado simples, de pessoas humildes. Quase todos os habitantes eram pescadores e lavradores, e não eram conhecidos por terem alto grau de instrução.

Mateus, também conhecido por Levi (seu nome judeu), filho de Alfeu, pouco fala de si em seu próprio Evangelho, uma característica comum aos outros Apóstolos também. Era coletor de impostos, uma profissão não muito bem-vista pelos outros, pois os coletores ganhavam dinheiro cobrando as pessoas. Quanto mais cobrassem, mais ganhavam, e isso fazia de sua fama das mais "corruptíveis". Os publicanos (coletores de impostos) compravam do imperador romano o direito de cobrar impostos, e o faziam de forma desprezível e ameaçadora.

O que levaria Jesus a escolher um homem com esse perfil para segui-Lo e levar adiante Seus ensinamentos? Como mencionamos nos volumes anteriores, Jesus sabia da importância de perdoar os pecadores, pois eram justamente eles os que mais precisavam de Sua presença. E assim foi, mais uma vez:

> Partindo dali, Jesus viu um homem chamado Mateus, que estava sentado no posto do pagamento das taxas. Disse-lhe: "Segue-me." O homem levantou-se e o seguiu (Mateus 9:9).

Mateus, então, preparou um grande banquete para Jesus, mostrando toda a sua admiração e agradecimento. Isso, porém, causou certo alvoroço no povoado, uma vez que se sentariam à mesa, junto de Jesus, os amigos de Mateus. Eles eram coletores de impostos como ele, ou seja, igualmente malvistos. Jesus, todavia, mais uma vez demonstra que prejulgamentos não O atrapalhavam; pelo contrário, eles O aproximavam de quem julgava necessário.

> Como Jesus estivesse à mesa na casa desse homem, numerosos publicanos e pecadores vieram e sentaram-se com ele e seus discípulos.
> Vendo isso, os fariseus disseram aos discípulos: "Por que come vosso mestre com os publicanos e com os pecadores?"
> Jesus, ouvindo isso, respondeu-lhes: "Não são os que estão bem que precisam de médico, mas sim os doentes.
> Ide e aprendei o que significam estas palavras: *Eu quero a misericórdia e não o sacrifício.* Eu não vim chamar os justos, mas os pecadores." (Mateus 9:10-13).

Pode haver atitude mais maravilhosa do que essa? Jesus não precisava rodear-se de pessoas sãs: era de pessoas dispostas a se entregar e a assumir seus pecados que o Mestre precisava, pessoas que sabiam que necessitavam ser aceitas e perdoadas. Como Mateus.

Uma grande reflexão se apresenta ao abordarmos a trajetória de Mateus: não há relatos de eventos que tivessem marcado sua vida, mas sabemos que, assim que Jesus o chama para segui-Lo, ele simplesmente se levanta e o faz. Sendo assim, é possível ponderarmos que, de fato, ele se sentia um pecador, por ter acumulado suas riquezas mediante atitudes equivocadas. Não foi para ele um problema abrir mão de tudo para seguir com Jesus, pois, afinal, ouvira:

> Portanto, eis que vos digo: não vos preocupeis por vossa vida, pelo que comereis, nem por vosso corpo, pelo que vestireis. A vida não é mais do que o alimento e o corpo não é mais que as vestes? (Mateus 6:25).

E assim foi. Mateus largou a coletoria imediatamente, mesmo sabendo que não haveria volta. Sabe-se que era um grande estudioso do Antigo Testamento e estava à procura do seu grande Salvador. Foi sua fé que o levou à conversão.

Uma das citações mais importantes do Evangelho de Mateus é esta:

> Mas Jesus, aproximando-se, lhes disse: "Toda autoridade me foi dada no céu e na terra.
> Ide, pois, e ensinai a todas as nações; batizai-as em nome do Pai, do Filho e do Espírito Santo.

Ensinai-as a observar tudo o que vos prescrevi. Eis que estou convosco todos os dias, até o fim do mundo." (Mateus 28:18-20).

Além dessa passagem citada em seu próprio Evangelho, Mateus também menciona uma das maiores virtudes de humildade que aprendeu com Jesus: não fazer nada que dependa da aprovação dos outros. Se alguém deseja doar ou orar pelo próximo, que o faça pelo seu coração, mas nunca para mostrar aos outros suas intenções, esperando um elogio.

Guardai-vos de fazer vossas boas obras diante dos homens, para serdes vistos por eles. Do contrário, não tereis recompensa junto de vosso Pai que está no céu. Quando, pois, dás esmola, não toques a trombeta diante de ti, como fazem os hipócritas nas sinagogas e nas ruas, para serem louvados pelos homens. Em verdade eu vos digo: já receberam sua recompensa (Mateus 6:1-2).

Quando orardes, não façais como os hipócritas, que gostam de orar de pé nas sinagogas e nas esquinas das ruas, para serem vistos pelos homens. Em verdade eu vos digo: já receberam sua recompensa.

Quando orares, entra no teu quarto, fecha a porta e ora ao teu Pai em segredo; e teu Pai, que vê num lugar oculto, te recompensará (Mateus 6:5-6).

Sabe-se que Mateus pregou por muitos anos para a comunidade judaica na Judeia, e também na Pérsia e Etiópia, onde teria morrido queimado, defendendo Santa Ifigênia, no ano de 74 d.C.

Sua data é comemorada em 21 de setembro.

ORAÇÃO A SÃO MATEUS

São Mateus, que deixou a riqueza para seguir com entusiasmo o chamado do Mestre, transformando a pobreza em hino de louvor a Jesus, intercedei por mim, que me encontro em aflição. Vós, que ouvistes do Mestre o ensinamento: "Não acumuleis para vós os tesouros da terra, a onde a traça e o caruncho os destroem, e onde os ladrões arrombam e roubam, mas acumulai para vós os tesouros dos céus", ensinai-me o verdadeiro valor das coisas terrenas e não permiti que a ambição e a soberba conduzam meus atos. Protegei o que é meu e de minha família da ganância e do alcance alheio, de modo que minhas posses não lhes causem cobiça nem ensejem atos ilícitos desvairados. Ensinai-me, por fim, a acumular tesouros no céu e a servir a Deus e não ao dinheiro. Escute a minha oração São Mateus. Amém.

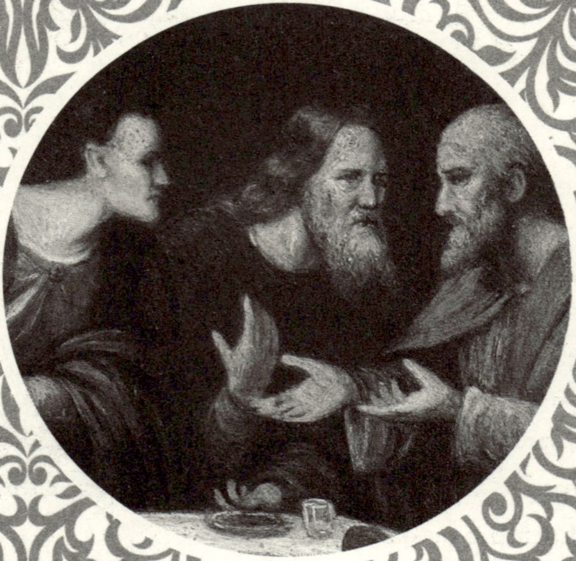

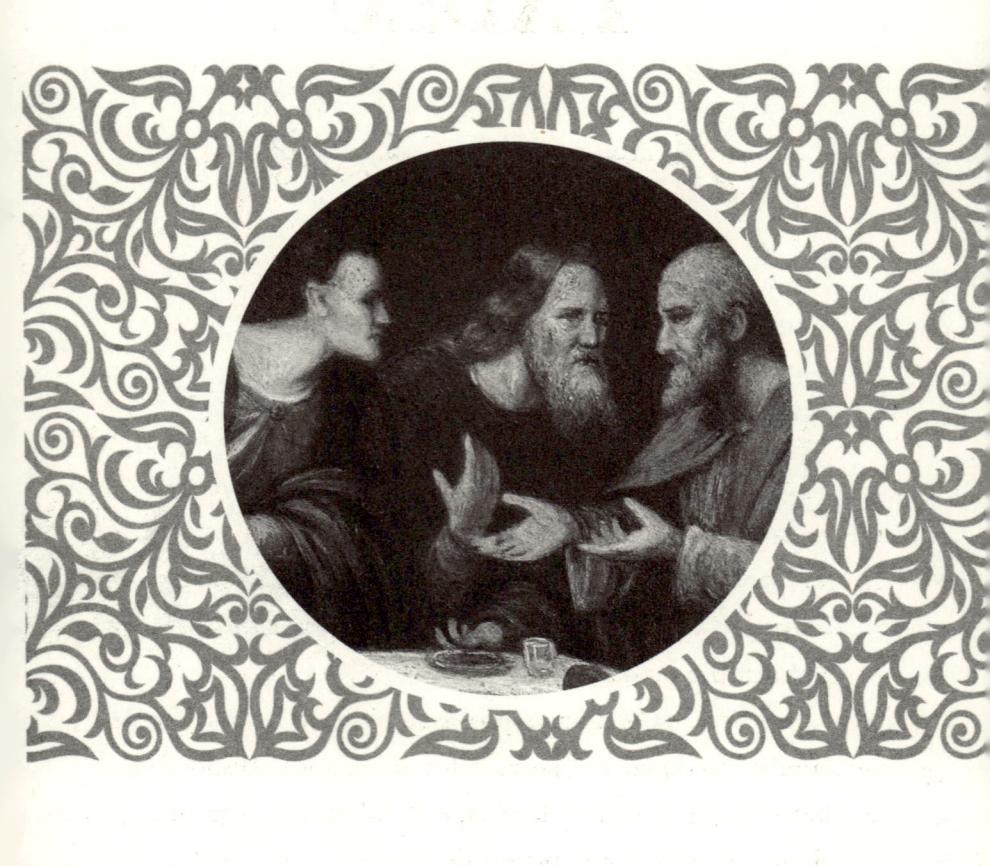

JUDAS TADEU

Judas significa "Jeová conduz", mas São Judas recebeu também alguns outros nomes que o diferenciavam: "Judas, não o Iscariotes", segundo João em seu Evangelho, ou ainda "Tadeu", que se refere à "criança de peito" ou à ideia de um bebê sendo amamentado, protegido e cuidado por sua mãe.

Nasceu na Galileia, provavelmente o caçula da família de Alfeu e Maria, e foi o segundo Bispo de Jerusalém. Era irmão de Tiago (o Menor) e, segundo alguns pesquisadores, primo de Jesus.

Foi um dos mais fervorosos Apóstolos de Cristo, sendo sem dúvida um dos maiores pregadores entre eles, mas sempre com muito cuidado e humildade. Estas eram características marcantes nesse homem de grande coração, como podemos comprovar em passagens do Novo Testamento em que aparece, a exemplo do cenáculo:

> Aquele que tem os meus mandamentos e os guarda, esse é que me ama. E aquele que me ama será amado por meu Pai, e eu o amarei e me manifestarei a ele.
> Pergunta-lhe Judas, não o Iscariotes: "Senhor, por que razão hás de manifestar-te a nós e não ao mundo?"
> Respondeu-lhe Jesus: Se alguém me ama, guardará a minha palavra e meu Pai o amará, e nós viremos a ele e nele faremos nossa morada.
> Aquele que não me ama não guarda as minhas palavras. A palavra que tendes ouvido não é minha, mas sim do Pai que me enviou.
> Disse-vos essas coisas enquanto estou convosco (João 14:21-25).

Nos anos posteriores ao Pentecostes, segundo os registros que pudemos encontrar, Judas dedicou-se a evangelizar na Mesopotâmia, atual região da Turquia, Edessa (onde curou o rei), Arábia e Síria.

Atribui-se a ele uma carta que leva à reflexão contra falsos mentores. Ainda hoje em dia, diversas crenças promovem o endeusamento de pessoas que, embora se atribuam a qualidade de doutrinadoras, cedo ou tarde apresentam falhas de comportamento. Eis um perigo que a modernidade nos traz: muitos gurus prometem a seus seguidores uma mudança de vida, mas tempos depois são desmascarados como falsos profetas.

Devemos nos resguardar de promessas que vão além do que podemos provar. São Judas Tadeu fazia questão de manifestar suas crenças, mas apresentava provas de quem era Jesus, nosso Salvador.

> Àquele, que é poderoso para nos preservar de toda queda e nos apresentar diante de sua glória, imaculados e cheios de alegria,
> ao Deus único, Salvador nosso, por Jesus Cristo, Senhor nosso, sejam dadas glória, magnificência, império e poder desde antes de todos os tempos, agora e para sempre. Amém (Judas 1:24-25).

O dia de São Judas Tadeu é celebrado em 28 de outubro, a mesma data em que se comemora o dia do último Apóstolo do qual falaremos, São Simão Zelotes.

ORAÇÃO A SÃO JUDAS TADEU PARA CAUSAS IMPOSSÍVEIS

São Judas Tadeu, glorioso Apóstolo, servo fiel e leal amigo de Jesus!

O nome de Judas Iscariotes, o traidor de Jesus, fez com que fostes esquecido por muitos, mas agora a Igreja vos honra e invoca como patrono dos casos desesperados e dos negócios sem remédio. Rogai por mim, que estou tão desesperado.

Eu vos imploro: fazei uso do privilégio que tendes de promover socorro imediato onde o socorro desapareceu quase por completo.

Assiste-me nessa grande necessidade, para que eu possa receber as bênçãos e o auxílio do céu em todas as minhas necessidades, vicissitudes e sofrimentos. São Judas Tadeu, alcançai-me a graça que vos peço (*detalhar a graça que se busca alcançar*).

Eu prometo, bendito São Judas Tadeu, recordar-me sempre deste grande favor e nunca deixar de louvardes e honrardes como meu poderoso patrono, fazendo tudo que estiver ao meu alcance para espalhar a vossa devoção por toda parte.

São Judas Tadeu, rogai por nós.

ORAÇÃO A SÃO JUDAS TADEU

São Judas Tadeu, Apóstolo de Cristo, eu vos saúdo e louvo pela fidelidade e amor com que cumpristes vossa missão.

Chamado e enviado por Jesus, sois uma das doze colunas que sustentam a verdadeira Igreja fundada por Cristo. Inúmeras pessoas, seguindo vosso exemplo e conduzidas por vossa oração, encontram o caminho para o Pai, abrem o coração aos irmãos e descobrem forças para vencer o pecado e superar o mal. Quero do mesmo modo proceder, convertendo-me e comprometendo-me com Cristo e com sua Igreja, com Deus e o próximo, especialmente o mais necessitado. E, assim convertido, assumo a missão de viver e anunciar o Evangelho como membro ativo de minha comunidade.

Espero, então, alcançar de Deus a graça a que almejo, confiando na vossa poderosa intercessão (*detalhar a graça que se busca alcançar*).

São Judas Tadeu, rogai por nós. Amém.

ОЛЕШ

SIMÃO

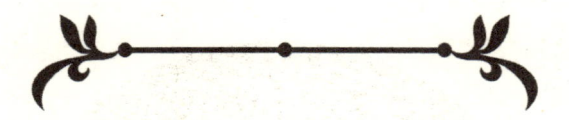

Nascido em Caná, Simão era também conhecido como Zelotes, em referência aos membros de um "partido político". O apelido servia para diferenciá-lo de Pedro, que igualmente era chamado de Simão. Vivia em Cafarnaum e tinha 28 anos quando se juntou aos Apóstolos de Jesus.

De todos eles, é o menos conhecido, mas sabemos que provinha de boa família. Era bastante leal e mostrava credibilidade quando precisava convencer seus discípulos a seguir Jesus por meio da fé, pregando "paz na Terra e boa vontade entre os homens".

De acordo com pesquisadores, existiam quatro partidos judeus na época de Cristo: os fariseus, que eram seguidores inflexíveis da lei; os saduceus, que eram liberais religiosos; os essênios, que eram celibatários e viviam no deserto; e os zelotes, que eram os mais "políticos" de todos.

Os zelotes buscavam a todo custo livrar os israelitas da ocupação romana, muitas vezes praticando atos extremamente violentos para alcançar esse objetivo. Fundamentalmente, esperavam que um Messias surgisse para restaurar o reino de Israel, e Simão era um deles. Porém, em determinado momento ele se transformou. Esperava-se que não fosse se dar bem com Mateus, seu oponente político, mas tornaram-se melhores amigos. Jesus enviava seus apóstolos em pares para pregar o Evangelho, segundo pesquisas.

Simão aceitou Cristo como seu Mestre, e Jesus vira nele um homem de lealdade, coragem e paixão intensas.

Segundo a tradição, Simão teria chegado à Ásia Menor e, desse ponto, viajado em companhia de Judas Tadeu pela Mesopotâmia e a Síria.

Simão teria sofrido seu martírio durante o império de Trajano. As versões sobre sua morte são conflituosas: algumas dizem que ele teria perecido na cruz; outras, que teria sido queimado em uma fogueira, na Armênia.

Por seu lado, a tradição católica diz que Simão foi martirizado a golpes de serrote, como Judas Tadeu.

A Igreja Católica festeja o dia de São Simão em 28 de outubro.

> **ORAÇÃO A SÃO SIMÃO**
>
> Simão, apóstolo de Jesus, entra em meu coração, ilumina minha existência com a luz da tua fé.
>
> Ensina-me, como vós, a amar Jesus e a seguir Seus ensinamentos de amor, caridade e verdade.
>
> Põe em meu coração a paz e a paciência, e equilibra a minha alma.
>
> Ó São Simão, fazei com que eu tome sempre as decisões certas, livrai-me das dúvidas e das incertezas, ajuda-me a compreender e a servir o meu próximo.
>
> São Simão, eu (*diga seu nome*) vos peço (*detalhar a graça que se busca alcançar*).
>
> Assegura meu espírito, se isso for o melhor para mim.
>
> E, se não for, dá-me a fé necessária para aceitar os desígnios de Deus.
>
> Amém.

BIBLIOGRAFIA

BÍBLIA SAGRADA. São Paulo: Ave-Maria, 2010. Edição Claretiana, revisada.

FERREIRA, A. B de H. *Minidicionário Aurélio*. Rio de Janeiro: Nova Fronteira, 1985.

MACARTHUR, J. *Doze homens extraordinariamente comuns*: como os apóstolos foram moldados para alcançar o sucesso em sua missão. Trad. Susana Klassen. 2. ed. Rio de Janeiro: Thomas Nelson Brasil, 2019.

Sites consultados:

ASTROCENTRO. Disponível em: <astrocentro.com.br/blog/oracoes>. Acesso em: 27 out. 2020.

DIVINO impressos. Disponível em: <blog.divinoimpressos.com.br/index.php/>. Acesso em: 27 out. 2020.

EM DEFESA da Fé Católica. Disponível em: <emdefesadaigrejacatolica.webnode.com//>. Acesso em: 27 out. 2020.

ENCONTRO com Cristo. Disponível em: <encontrocomcristo.com.br/>. Acesso em: 27 out. 2020.

LAMARTINE Posella. Disponível em: <youtube.com/lamartineposella>. Acesso em: 27 out. 2020.

RUMO da Fé. Disponível em: <rumodafe.com.br/>. Acesso em: 27 out. 2020.

VATICAN News. Disponível em: <vaticannews.va/pt/>. Acesso em: 27 out. 2020.

TERRA. *Dia de São Mateus*. Disponível em: < https://www.terra.com.br/vida-e-estilo/horoscopo/dia-de-sao-mateus-veja-a-oracao-do-santo-evangelista.html/>. Acesso em: 27 out. 2020.

Coleção
O LIVRO DOS
APÓSTOLOS

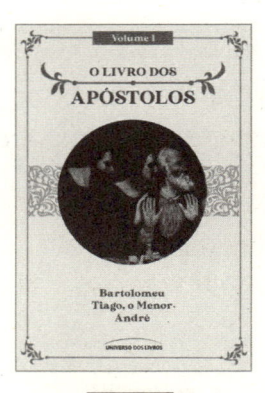

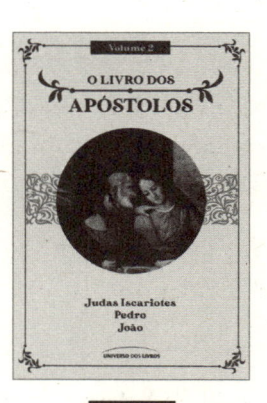

Volume 1

Bartolomeu
Tiago, o Menor
André

Volume 2

Judas Iscariotes
Pedro
João

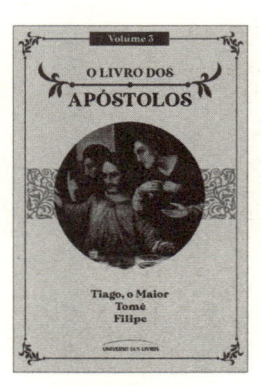

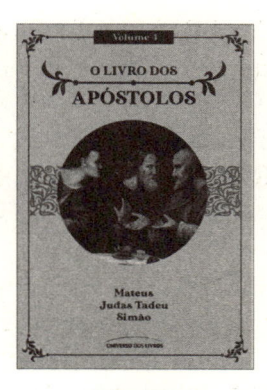

Volume 3

Tiago, o Maior
Tomé
Filipe

Volume 4

Mateus
Judas Tadeu
Simão

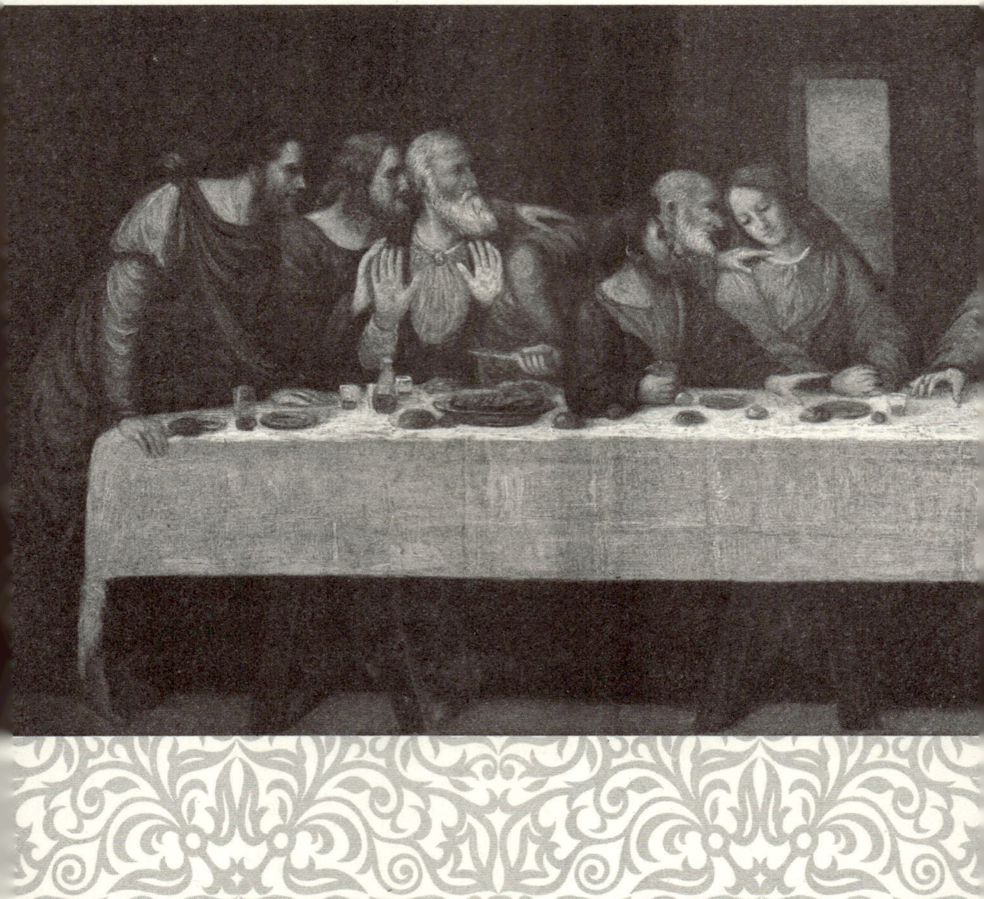

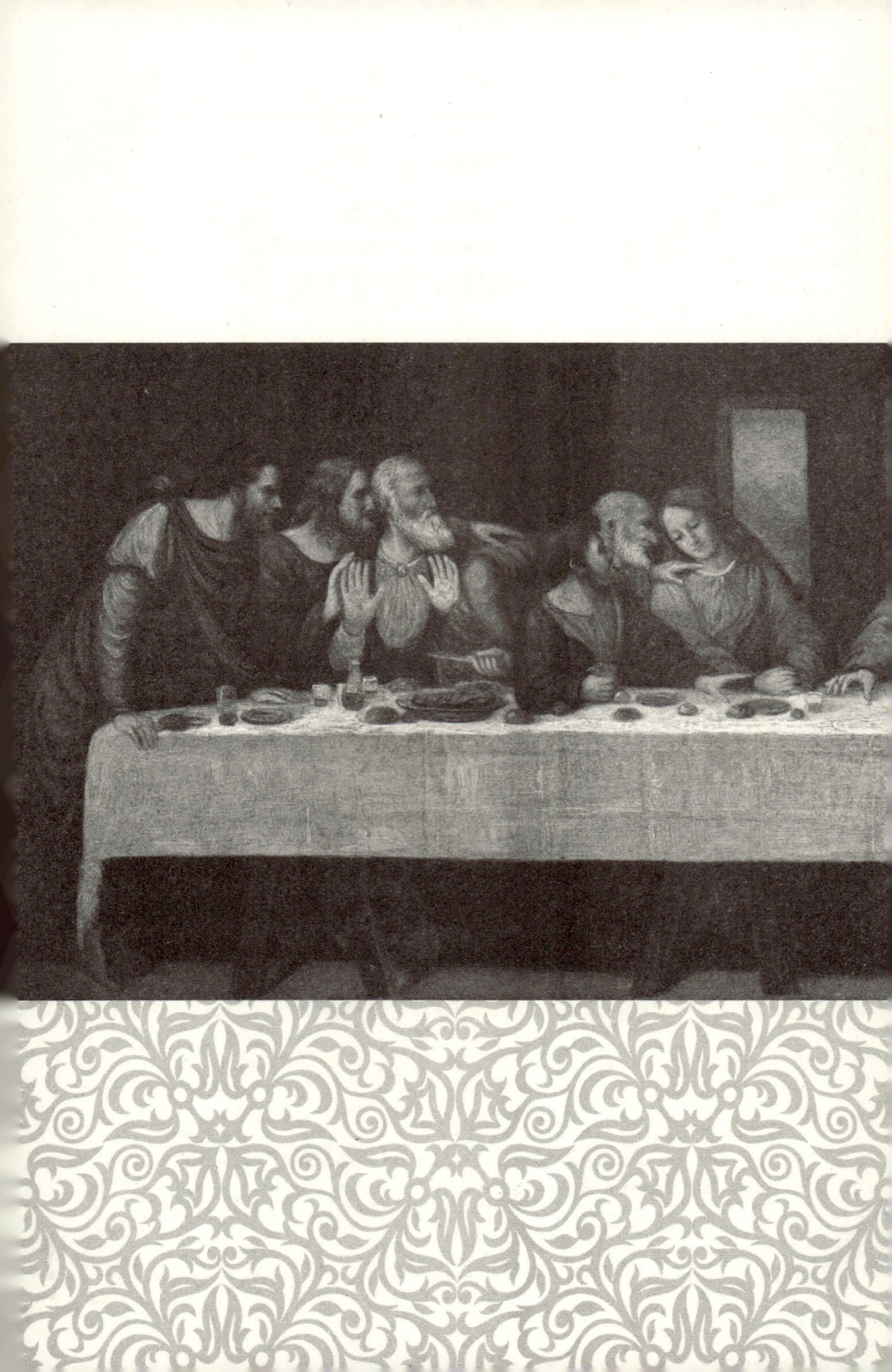

Leonardo da Vinci, *A Última Ceia*. Cópia do século XIX feita por um autor desconhecido no altar lateral na igreja Kostel Svatého Václava, em Praga. Shutterstock/Renata Sedmakova.